Creaduriaid Hud Myrddin Ddewin

Creaduriaid Hud Myrddin Ddewin

GRAHAM HOWELLS

Addasiad Gwyn Thomas

Gomer

I'r Teulu Teg,
Delyth, Joseff a Jacob

Cyhoeddwyd yn 2008
gan Wasg Gomer, Llandysul, Ceredigion SA44 4JL
www.gomer.co.uk

ISBN 978 1 84851 019 7

Dymuna'r cyhoeddwyr gydnabod cymorth
adrannau Cyngor Llyfrau Cymru.

Argraffwyd a rhwymwyd yng Nghymru gan
Wasg Gomer, Llandysul, Ceredigion.

Cynnwys

Adran Pedwar: O Dan y Ddaear

Adran Pump: Creaduriaid Dŵr

Adran Chwech: Cewri a Thrigolion Mynyddoedd

Rhagair

Fe ddechreuodd chwedl Myrddin ganrifoedd yn ôl yng Nghymru, mewn hen gerddi. Ond yr oedd yna gymeriad eithaf tebyg iddo fo'n bod mewn hen chwedlau o'r Alban ac Iwerddon. Yn y chwedl wreiddiol, dyn a gollodd ei bwyll mewn brwydr go-iawn, sef Brwydr Arfderydd (OC 573) yng nghyffiniau Caerliwelydd (Carlisle), oedd Myrddin, ac un a fu'n byw'n wyllt yng Nghoed Celyddon. Yno roedd o'n byw gyda'r anifeiliaid, ac yn siarad efo mochyn bach neu 'borchellan', ac yn cyfarch coed afalau! Ond, yn raddol, fe newidiodd y stori, ac fe ddatblygodd Myrddin i fod yn ddewin pwerus ac yn broffwyd. Yn y man, fe gafodd un o chwedleuwyr pwysicaf yr Oesoedd Canol, sef Sieffre o Fynwy, afael arno a dyma fo'n ei wneud o'n gymeriad mor ddiddorol nes i Fyrddin ddatblygu i fod yn un o gymeriadau pwysig chwedl Arthur. Erbyn hyn rydym ni wedi hen arfer meddwl am Fyrddin fel un o ddewiniaid pwysicaf y byd, ac un o brif gymeriadau chwedl y Brenin Arthur.

Yr hyn a gawn ni yn y llyfr hwn ydi sôn am bob math o greaduriaid sydd i'w cael yn ein llên gwerin ni fel Cymry, a phob math o goelion oedd yn gyffredin, ac sydd, i raddau, yn dal i fod yn gyffredin mewn gwahanol rannau o Gymru. Cafodd Graham Howells, awdur y llyfr hwn, y syniad o alw creaduriaid a bwganod oedd yn adnabyddus mewn llên gwerin yn 'Greaduriaid Myrddin'. Y mae'r cyfan yn wamal, yn hwyl ac yn sbri.

Wrth wneud hyn y mae wedi gwneud rhywbeth digon cyfarwydd, sef ymestyn stori'r hen Fyrddin, a datblygu'r chwedl, yn union fel y mae chwedleuwyr wedi bod wrthi'n gwneud erioed. Y mae yma bob math o greaduriaid rhyfedd, a fu o ddiddordeb mawr iawn i Gymry ar hyd yr oesoedd. Y mae'r rhan fwyaf o'r coelion am 'greaduriaid' Myrddin yn hen: fe geir ambell un ohonyn nhw yn ein Mabinogion ni – dyna ichwi'r hen gyfaill Y Twrch Trwyth (o chwedl 'Culhwch ac Olwen'), neu'r Coraniaid (sydd i'w cael yn chwedl 'Lludd a Llefelys'), er enghraifft. Y mae hen Fyd Arall y Cymry yma, dan yr enw 'Annwn', sef yr hen enw a ddaeth dros y canrifoedd i olygu 'Uffern': wrth ichwi fynd allan yn y nos gwyliwch rhag Gwragedd Annwn a Chŵn Annwn – maen nhw'n beryglus iawn. Y mae rhai o'r creaduriaid sydd yn y llyfr hwn mor hen nes bod cysgodion hen dduwiau'r Celtiaid arnyn nhw – dyna ichwi Wrach y Rhibyn, er enghraifft. Ar hyd a lled Cymru, ar dir ac arfordir, y mae yna chwedlau a choelion am ryfeddodau, a dyma'r llyfr lle y dewch chwi o hyd iddyn nhw.

Un rhybudd: gwyliwch rhag darllen y llyfr hwn yn eich gwelâu, achos pwy a ŵyr pa fath o greaduriaid yr hen Fyrddin a ddaw i wneud eu hunain yn gartrefol yn eich breuddwydion, os gwnewch chwi hynny. Breuddwydion? Nid dyna ydi'r gair iawn; y gair iawn ydi 'hunllefau'. Llyfr o hen hunllefau hudolus ydi hwn, mewn gwirionedd, ac ar ôl ichwi ei ddarllen 'fydd Cymru ddim yn hollol fel ag yr oedd hi:

'Beth oedd hwnna yn yr ardd?'

'Welaist ti hynna?'

'Yn wir i ti, nid 'sgodyn oedd hwnna!'

Ac, wrth fynd i gysgu, edrychwch dros yr erchwyn, rhag ofn ei bod Hi, Gwrach y Rhibyn, yno'n llercian.

GWYN THOMAS

Cyflwyniad

Y mae gwlad hynafol Cymru, man geni Myrddin, yn fan sydd wedi ei mwydo mewn hudoliaeth. Y mae hudoliaeth ym mêr esgyrn y tir a ffurfiau ei gymeriad. Yma dyw'r ffin rhwng y byd hwn a'r Byd Arall erioed wedi bod yn un bendant, ac am y rheswm hwnnw y mae Cymru, ers oesoedd, wedi bod yn gartref delfrydol i amrywiaeth gyfoethog o fodau dieithr a rhyfeddol: cewri, angenfilod y llynnoedd, tylwyth teg, a dreigiau tanllyd (y mae un o'r rhain i'w chael ar y faner genedlaethol).

Fel un a fyfyriai ar y byd naturiol, yr oedd Myrddin yn hen gynefin ag ymddygiad a nodweddion y bodau dirgel hyn, a chadwai gofnodion manwl am eu harferion. Yn ddiweddar darganfuwyd nifer o lawysgrifau gwreiddiol Myrddin – mewn ogof yn un o fannau anial Sir Gaerfyrddin – ac ymhlith y rhain yr oedd dogfen yn cynnwys disgrifiadau o greaduriaid hud sydd, fwy neu lai, wedi eu bwrw dros gof erbyn hyn. Bwriad y llawysgrif, mae'n debyg, oedd cynnig arweiniad ar gyfer y darllenydd cyffredin, ond doedd Myrddin, wrth reswm, ddim yn ysgrifennu gan feddwl am gynulleidfa ddiweddar. Am y rheswm hwnnw ac er mwyn eglurder, cyflwynir y testun a'r lluniau sydd yma mewn ffurf ddiwygiedig. Ambell dro, ychwanegwyd at yr wybodaeth wreiddiol er mwyn diweddaru testun gwreiddiol Myrddin.

Nid creaduriaid a ddyfeisiwyd yw'r creaduriaid hud a geir yn yr arweiniad hwn: y maent wedi cael eu gweld ers canrifoedd yng Nghymru, hyd yn oed cyn amser Myrddin. Y mae eu ffurfiau, eu maintioli a'u natur yn amrywio ac, oherwydd eu hanian hudol, dydyn nhw ddim yn hawdd i'w dosbarthu yn ôl rheolau penodedig. Er enghraifft, yn ôl y sôn, yr un creadur yw'r Bwca, Pwca, Bwci Bo a'r Bwgan mewn gwirionedd, ond y mae'n rhan o natur y bodau anarferol hyn i wrthod cael eu rhannu i gategorïau syml.

Efallai'n wir y bydd creaduriaid hud yn wastad y tu hwnt i'n gwir ddealltwriaeth, ond y mae'r disgrifiadau a geir yn y llyfr hwn wedi eu seilio ar y dystiolaeth fwyaf dibynadwy sydd ar gael. Ysgrifennodd Myrddin i'n hatgoffa am faterion na ddylid eu hanghofio ac am bwerau na ddylid eu hanwybyddu, ac er bod rhai amheuwyr yn dweud fod creaduriaid hud wedi peidio â bod (neu eu bod yn brin ryfeddol), efallai mai arweiniad yn unig sydd ei angen i'n hatgoffa ni eu bod yn dal i fodoli.

Graham Howells

Nodyn: er hwylustod i'r darllenydd diweddar, rhannwyd y creaduriaid i chwe categori cyffredinol. Er mwyn hwyluso'r dosbarthu, y mae gan bob categori ei symbol arbennig ei hun:

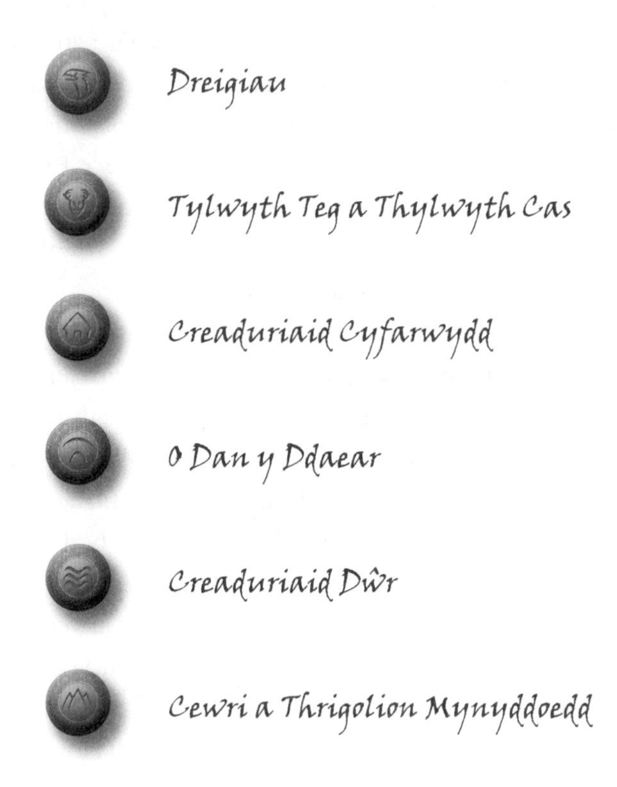

Adran Un:
Dreigiau

Y Ddraig Goch

Does dim dwywaith nad y Ddraig Goch ydi'r ddraig gryfaf un.

Er ei bod hi'n debyg mai'r Ddraig Goch ydi'r enwocaf un o'r holl fathau o ddreigiau sydd yna, eto hi ydi'r ddraig fwyaf prin yng Nghymru. Does dim dwywaith chwaith nad yw'r Ddraig Goch yn ddraig go-iawn, a bod ganddi hi bedair coes, dwy adain fawr fel rhai ystlum, a'i bod hi'n gallu chwythu tân. Mae ganddi hi bedwar bys, fel crafanc, ar bob troed, cynffon fachog, a phigyn peryglus ar ei thrwyn.

Y ddraig goch ei lliw ydi'r unig wir ddraig y mae ei chynefin hi yng Nghymru. Mae hi'n ffyrnig wrth amddiffyn ei lle hi ei hun, ac yn un o elynion pennaf y Ddraig Wen o ddwyrain Prydain. Yr adroddiad enwocaf un am weld y Ddraig Goch ydi hwnnw am Ddinas Emrys yn Eryri. Mae'r adroddiad yn dweud y bu ymladd ofnadwy yn y lle hwn a bod y Ddraig Goch wedi trechu'r Ddraig Wen yno.

Yn wahanol i bob draig arall, y mae gan y Ddraig Goch dafod bachog.

Y mae gan y Ddraig Goch gorn trawiadol ar ei thrwyn.

Yr unig sôn sydd yna am ffau'r Ddraig Goch ydi'r adroddiad hwnnw sy'n dweud mai o dan y gaer sydd ar fryn Dinas Emrys yn Eryri y mae hi.

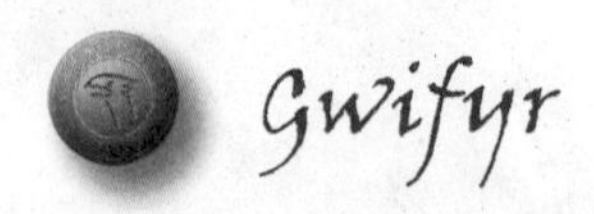

Gwifyr

Math o ddraig yw'r Wifyr sydd, mewn llawer ffordd, yn debyg i'r Ddraig Goch. Ond, er hynny, y mae yna wahaniaethau rhyngddyn nhw: yn lle bod ganddi hi bedair troed fel y Ddraig Goch go-iawn, dwy droed sydd gan y Wifyr. Ar ei hadenydd y mae gan y Wifyr grafangau sy'n gallu cydio'r un fath â dwylo. Y mae hi fymryn yn llai na'i chyfnither, y Ddraig Goch, ond er nad ydi hi'n gallu chwythu tân, maen nhw'n dweud ei bod hi'n wenwynig.

Yn ôl pob tebyg, Gwifyr oedd y ddraig oedd yn peri trafferthion yng Nghastellnewydd Emlyn yn Sir Gaerfyrddin, er bod rhai'n dadlau mai Gwiber oedd y creadur hwnnw – gan fod Gwiber a Gwifyr yn eithaf tebyg i'w gilydd.

Fe laddwyd Gwifyr, oedd yn codi ofn ar bobol i'r gogledd o Ddolgellau, gan fugail ifanc.

Gwiber

Heddiw, Gwiber ydi'r unig neidr wenwynig sydd yna yng Nghymru, ond nid dyna oedd Gwiber ers talwm. Yr adeg honno, y ddraig fwyaf cyffredin yng Nghymru oedd hi. Sarff anferth, gydag adenydd ond heb ddim coesau oedd hi, ac fe allai hi fod yn un o lawer o liwiau. Er nad oedd hi'n gallu chwythu tân, y sôn oedd ei bod hi'n wenwynig iawn.*

Y mae yna adroddiadau am Wiberod o bob man yng Nghymru, ond yn arbennig yng Nghwm Nedd, Llanrhaeadr-ym-Mochnant yn Sir Ddinbych, y Wibernant yn ymyl Penmachno, a Phenhesgyn yn Sir Fôn. Yn amlach na pheidio maen nhw i'w cael yn ymyl rhaeadrau, ac fe ddywedir eu bod nhw'n gallu byw mewn dŵr yn ogystal ag ar dir. Y mae Gwiberod yn cael eu denu'n gryf at liw coch.

* Y mae'n debyg mai Gwiber oedd y bwystfil oedd yn cael ei alw'n Carrog ac oedd yn byw yn Nyffryn Conwy. Fe laddwyd y Carrog yma gan ffermwyr; ond, ac yntau'n gorwedd yn gorff marw, fe gafodd un dyn ei anafu gan bigyn gwenwynig oedd ar un o'i adenydd ac fe syrthiodd yn farw yn y fan a'r lle. Y mae Dôl-y-carrog a Dolgarrog wedi eu henwi ar ôl y bwystfil hwn.

Codwyd y garreg a elwir yn Post y Wiber yn Sir Ddinbych i waredu'r ardal o'i Gwiber.

Credwyd y gallai'r Sarff-
geiliog gael ei lladd trwy weld
ei hadlewyrchiad hi ei hun,
a bod cân ceiliog yn y bore
bach yn farwol iddi.

Y Sarff-geiliog

Y Sarff-geiliog, neu'r Basilisg ydi'r math lleiaf o ddraig sy'n bod, gan nad ydi hi ond yn rhyw ychydig droedfeddi o hyd. Ond mae'r Sarff-geiliog yn beryglus iawn; mae ei hedrychiad hi'n gallu lladd pob creadur ond am y wenci, ond fe all y Sarff-geiliog gael ei lladd wrth iddi weld ei hadlewyrchiad hi ei hun.

Maen nhw'n dweud fod y Sarff-geiliog yn cael ei geni pan fo wy, wedi ei ddodwy gan geiliog, yn cael ei ddeor gan lyffant du neu sarff; ac, yn wir, y mae'r Sarff-geiliog yn edrych yn debyg i gymysgedd ryfedd o geiliog a sarff.

Er y ceir chwedlau sy'n sôn fod gan y creaduriaid hyn lygaid ar eu gwegilau, yr oedd yna, medden nhw, Sarff-geiliog yng Nghas-wis, Sir Benfro, gyda llygaid dros ei chorff i gyd.

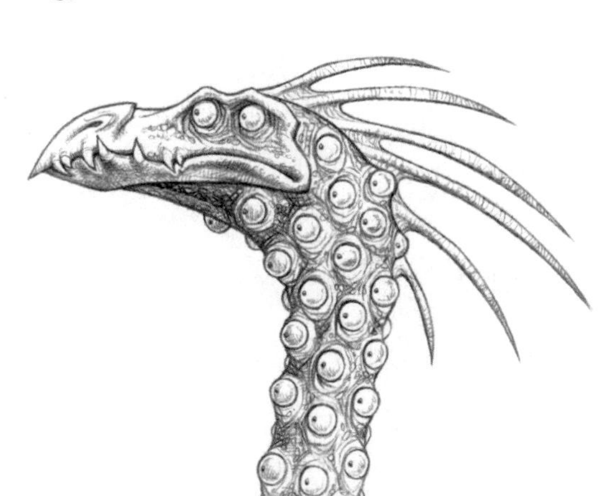

Y gred oedd y gallai'r Afanc daflu gwaywffon efo'i bawennau blaen.

Afanc

Creadur bach digon diniwed ydi'r Afanc, ond amser maith yn ôl roedd o'n greadur oedd yn codi ofn ar bawb.

Creadur mawr, tebyg i ddraig, oedd yr Afanc, yn byw ar ei ben ei hun mewn afonydd neu lynnoedd. Roedd ganddo groen mor wydn â lledr, a cheg yn llawn o ddannedd miniog. Roedd o'n bwyta cig, ac yn arfer dwyn defaid a gwartheg o gaeau yn agos at y dŵr.

Roedd Afancod yn osgoi golau dydd. Doedden nhw ddim yn mynd yn hen nac yn marw o achosion naturiol. Yn ôl pob sôn, dim ond torri trwy eu crwyn cennog y gallai unrhyw arf o law dyn ei wneud, ond fe ddaru marchog o'r enw Peredur ladd Afanc yn Llyn Llion, ac fe laddodd y Brenin Arthur un yn Llyn Barfog yng Ngwynedd.

Unwaith, yr oedd yna afanc yn arfer byw yn Llyn-yr afanc yn Eryri, ac mae sôn fod yna un arall wedi ei gladdu ym Mrynberian ym mryniau'r Preseli.

Adran Dau:

Tylwyth Teg a Thylwyth Cas

Tylwyth Teg

Pobol fach, hudol ydi'r Tylwyth Teg, ond fe ddefnyddir yr enw, hefyd, am lawer o fodau hudol eraill (ond nid dreigiau a chewri), ac oherwydd fod iddyn nhw gymaint o ffurfiau hudol y mae hi braidd yn anodd eu dosbarthu nhw.

Er eu bod nhw'n dweud fod eu cartrefi nhw ym mynyddoedd y gogledd neu ar ynysoedd hud oddi ar arfordir gwyllt gorllewin Sir Benfro, fe ellir taro ar y Tylwyth Teg yn y rhan fwyaf o leoedd yng Nghymru: mewn coedydd, yn y mynyddoedd, mewn llynnoedd ac afonydd, yng nghartrefi pobol, ac o dan y ddaear.

Brenin y Tylwyth Teg oedd Gwyn ap Nudd, a'i deyrnas o oedd Annwn, Y Byd Arall.

Os bydd y Tylwyth Teg yn ffafrio bod dynol y mae hwnnw'n un lwcus, oherwydd enw arall ar y Tylwyth Teg ydi 'Bendith y Mamau'. Y maen nhw, hefyd, yn cael eu galw yn 'Plant Annwn'.

Y mae Gwyn ap Nudd
yn hela'r rheini sy'n
gwneud drwg.

Y mae Cŵn Annwn i'w
clywed, gan amlaf, yn
hedfan ar nosau ganol
gaeaf gan lenwi'r nos
ag udo galarus.

Cŵn Annwn

Cŵn rhithiol o Annwn, y Byd Arall, ydi'r rhain, ac enw arall arnyn nhw ydi Cŵn Wybr. Y maen nhw wedi cael eu gweld ym mhob rhan o Gymru.

Y mae yna wahanol ddisgrifiadau o'r cŵn hyn: weithiau y maen nhw i'w gweld fel cŵn purwyn, a'r tu mewn i'w clustiau nhw'n goch; dro arall fe'u disgrifir nhw fel cŵn duon, hyll iawn, gyda smotiau mawr coch ar eu blew. Ond efallai mai'r olwg waethaf un arnyn nhw ydi pan fyddan nhw o liw coch fel gwaed, gyda dannedd a llygaid sydd yn ddisglair fel pe baen nhw ar dân.

Gwyn ap Nudd, Brenin y Byd Arall, ydi meistr y cŵn rhithiol hyn, ac y mae o'n mynd â nhw allan i hela eneidiau pobol ddrwg.

Y mae Mallt y Nos yn hen wrach sydd, weithiau, i'w gweld yn mynd ar gefn ceffyl gyda Gwyn ap Nudd a chŵn y Byd Arall. A hithau wedi ei gwisgo mewn clogyn tywyll gyda chwfl coch, y mae hi'n gyrru'r cŵn yn eu blaenau gan sgrechian ac oernadu'n enbyd.

Ellyllon

Y mae Ellyllon yn enw ar goblynnod bach sydd i'w cael ar hyd a lled Cymru. Fel arfer, y maen nhw wedi eu gwisgo mewn dillad lliwgar ac yn cerdded mewn gorymdaith neu'n dawnsio i gyfeiliant cerddoriaeth hudol. Weithiau y maen nhw i'w gweld yn agos at feini hirion a chromlechi. Fe all Ellyllon fod o gymorth os dilynir eu rheolau nhw. Llysieuwyr ydi Ellyllon, ac y maen nhw'n bwyta menyn y wrach a chaws llyffant.

Yn aml gellir gweld Ellyllon yn dawnsio ar hyd dolydd ar nosau lloergan ac ar foreau niwlog. Y mae cyfarfodydd Ellyllon yn gorffen gyda dawns sydd yn creu 'cylch Tylwyth Teg' yn y borfa. Y mae'r cylch hwn yn agor i deyrnas lle y mae amser yn mynd heibio'n wahanol i'n hamser ni. Os gwnaiff bod meidrol grwydro i mewn i'w cylchoedd, y mae o'n cael ei orfodi i ddawnsio gyda'r Tylwyth Teg, weithiau am flynyddoedd yn ôl ein hamser ni. Yn Nant yr Ellyllon ger Llangollen bu bod meidrol unwaith yn dawnsio gyda'r Ellyllon.

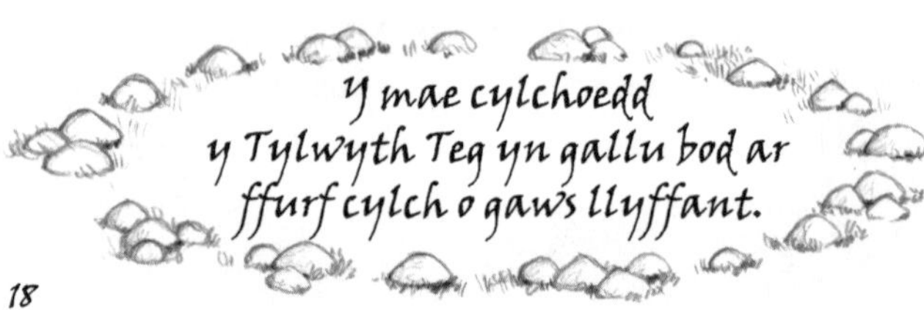

Y mae'r rhai a fu'n dawnsio gyda'r Ellyllon yn ei chael hi'n anodd iawn cofio'r profiad.

Yn ôl pob sôn, roedd
y Bodach Glas yn
mynd i lawr simneiau
i ddwyn plant drwg.

Bodach Glas

Y mae'r Bodach Glas yn gorrach direidus sydd, weithiau, yn gallu bod yn sbeitlyd. Y mae'n gwisgo glas neu lwyd o'i gorun i'w sawdl ac, fel arfer, y mae ganddo fo farf. Ar noson o haf ger Dolwyddelan yng Ngwynedd, gwelwyd criw mawr o Fodachod Gleision yn dawnsio ac yn cadw reiat.

Y mae'r Bodach Glas wrth ei fodd yn gwneud drygau, megis tywys pobl oddi ar lwybrau cynefin, dychryn teithwyr sydd ar eu pennau eu hunain, a thaenu newyddion drwg heb i neb eu gweld. Yn ôl pob golwg y maen nhw, erbyn hyn, yn brin yng Nghymru, ond y mae sôn mwy diweddar amdanyn nhw yn yr Alban.

Coraniaid

Llwyth o greaduriaid bychain a chanddyn nhw alluoedd hud oedd y Coraniaid. Amser maith yn ôl fe wnaeth y Coraniaid, nad oedd yn frodorion o Gymru, ymosod ar y wlad a dod yn llywodraethwyr gormesol yma.

Prif allu'r Coraniaid oedd eu gallu i glywed; fe gariai'r gwynt hyd yn oed y sibrwd distawaf yn unrhyw ran o'r wlad i'w clustiau. Allai neb gynllwynio yn eu herbyn heb iddyn nhw glywed.

Wrth drafod busnes fe fydden nhw'n defnyddio arian y Tylwyth Teg, a edrychai'n union fel arian go-iawn wrth ei ddal yn y llaw i ddechrau, ond a drôi'n bridd a chaws llyffant yn fuan iawn. Yn y diwedd fe'u trechwyd nhw gan ddiod a wnaed o chwilod wedi eu malu'n fân.

Ceir sôn amdanynt yn yr hen chwedl 'Lludd a Llefelys'.

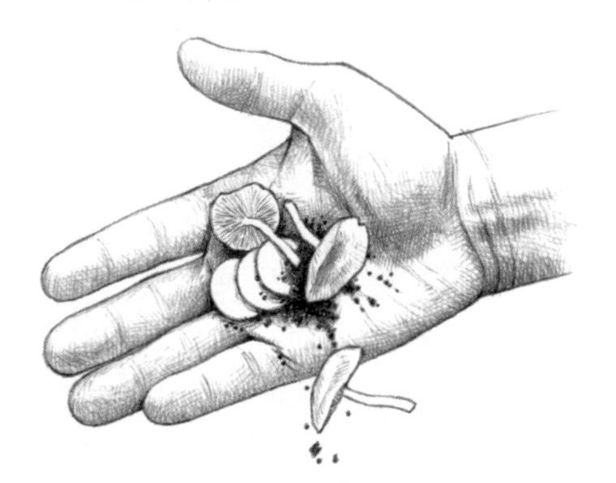

Cyhyraeth

Y mae'r Gyhyraeth, sy'n nodedig am ei sgrechiadau annaearol a dychrynllyd yn y nos, i'w chlywed yn amlach nag y mae i'w gweld, a hynny fel arfer ar groesffordd neu wrth ymyl nant. O dan glymau ei gwallt brith y mae gan y greadures hon lygaid pŵl a'r rheini'n ddwfn yn ei phen, a dwy fochgern uchel. Y mae ganddi drwyn smwt a ffroenau llydain, a cheg yn llawn o ddannedd duon sy'n gwthio tuag allan.

Y mae breichiau'r Gyhyraeth yn denau, yn grebachlyd ac yn hir, hir – ymhell y tu hwnt i faint ei chorff.

Gellir ei gweld wedi'i gwisgo mewn clogyn du, llaes yn tasgu dŵr nant gyda'i dwylo ac yn nadu'n alarus, a dydi gweld y fath olygfa ddim yn argoel dda. Y mae gweld y Gyhyraeth yn arwydd o farwolaeth sydd ar fin digwydd, er y gellir osgoi'r farwolaeth honno trwy ochel rhag hynny yn y ffordd briodol.

Y mae Gwrach y Rhibyn
yn hoffi byw ger cestyll
neu ynddyn nhw,
ac y mae un yn byw
wrth ymyl castell Caerffili.

Gwrach y Rhibyn

Y mae amryw o nodweddion Gwrach y Rhibyn yn perthyn i'r Gyhyraeth hefyd. O ran golwg y mae hithau'n hen wrach hyll â dannedd duon, ond o sylwi'n fanylach gellir gwahaniaethu rhyngddi hi a'r Gyhyraeth.

Un o nodweddion Gwrach y Rhibyn yw ei gallu i hedfan: y mae ganddi ddwy adain fawr o ddefnydd tebyg i ledr ar ei chefn. Gellir ei hadnabod hefyd oddi wrth ei gwallt hirgoch, cyrliog a blêr sy'n cyrraedd hyd at ei hysgwyddau esgyrnog, ac sydd mor fras â chynffon ceffyl. Y mae ei llygaid yn ddwfn yn ei phen ac yn danllyd uwchben ei bochgernau amlwg, ac y mae ei thrwyn mawr, crwca'n cyrraedd bron iawn at ei gên bigog.

Y mae Gwrach y Rhibyn yn aml iawn yn dewis byw mewn adfeilion cestyll, ac fe ddywedir ei bod wedi cael ei gweld ym Mhennard ar Benrhyn Gŵyr, a Sain Dunwy a Beaupré ym Morgannwg.

Mae hi i'w gweld yn aml ar ryd neu ar groesffordd. Pan fydd hi'n cyhoeddi angladd sydd ar fin digwydd y mae Gwrach y Rhibyn yn codi ei breichiau hir, esgyrnog ac yn rhoi sgrech annaearol.

Cath Palug

Fe'i hadwaenir hefyd fel 'Y Gath Grafangog'. Roedd y gath hon yn fwystfil anferthol oedd yn byw yn Sir Fôn. Hwch o'r enw Henwen oedd ei mam hi.

A hithau'n feichiog, roedd Henwen wedi nofio o Gernyw, a Choll fab Collfrewi'n cydio yn ei blew hi. Fe deithiodd yr hwch ar draws Cymru a phan ddaeth hi i Eryri fe roddodd enedigaeth i flaidd ac eryr. Fe anwyd Cath Palug ei hun yn edrych dros Gulfor y Fenai yng Ngwynedd, ond yn syth ar ôl ei geni fe luchiwyd hi i'r môr.

Ond llwyddodd hi i groesi i Ynys Môn lle y tyfodd hi'n anferth ac yn ffyrnig, gan ddod yn bla ar yr ynys. Dywedir ei bod hi, yn y diwedd, wedi cael ei lladd gan yr arwr enwog, Cai Hir, ond dim ond ar ôl iddi sglaffio cig llawer o filwyr dewr. Dywedir hefyd ei bod hi'n bwyta un milwr bob dydd, ond dau ar y Sul – rhag torri'r Saboth.

Cath Palug:
yr enwau eraill a
roddir arni yw
Cath Frech a'r
Gath Grafangog.

Mae'r cerrig a elwir yn Cerrig Meibion Arthur ar fynyddoedd y Preseli yn nodi'r fan lle y lladdodd y Twrch Trwyth ddau o feibion y Brenin Arthur.

Twrch Trwyth

Baedd enfawr oedd hwn, a chyn iddo fod yn faedd roedd o'n dywysog, ac yn fab i dywysog o'r enw Tared. Fe ddaru'r Twrth Trwyth a'i saith mab gael eu melltithio a'u troi'n anifeiliaid gwylltion am eu bod nhw mor ddrwg.

Roedd y Twrch Trwyth i fod i ofalu am dri o Brif Dlysau Ynys Prydain, sef crib, rasal a siswrn. Roedd o'n cadw'r rhain yn y blew garw rhwng ei glustiau.

Fe aeth y Brenin Arthur gyda'i farchogion dewraf i chwilio am y tlysau hyn er mwyn i'w gefnder, Culhwch, eu cael nhw er mwyn medru priodi Olwen. Tri o farchogion enwocaf un Arthur oedd Cai, Bedwyr a Gwalchmai.

Er y gallai'r Twrch Trwyth redeg yn gyflym dros bellterau mawr wrth geisio ffoi, fe allai o fod yn ffyrnig ofnadwy ac roedd o'n barod iawn i ymladd pan gâi o gyfle. Ar ôl cwffio dychrynllyd fe ddaru Arthur a'i farchogion ei yrru fo i'r môr; a welodd neb mohono byth wedyn.

Bwgan

Y mae Bwgan, sydd hefyd yn cael ei alw'n Bwci Bo a Bwci Bal, yn goblyn dychrynllyd ac ymddengys mai ei unig fwriad ydi dychryn pobol. Y mae'n greadur sy'n byw a bod ar ei ben ei hun ac yn un sy'n gallu symud mor gyflym fel mai prin y gall neb ei weld o. Y mae'n hoffi llercian mewn mannau tywyll a neidio allan yn annisgwyl i ddychryn pobl. Dydi o ddim yn hoff o olau dydd, ac yn y nos y mae o wrth ei waith.

Er bod Bwganod yn erchyll o ran eu golwg, fe allan nhw amrywio'n fawr yn y ffordd y maen nhw'n edrych. Fe dybir eu bod nhw'n gallu newid eu siapiau ac y maen nhw wedi cael eu disgrifio mewn ffyrdd gwahanol – fel rhai bychain ac eiddil, a rhai angenfilaidd tebyg i ddynion, yn flew drostynt.

Er nad ydyn nhw'n peri unrhyw niwed corfforol, fe all eu golwg nhw fod mor ddychrynllyd fel na ellir byth anghofio unrhyw gyfarfyddiad â nhw.

Pwca

Fe elwir y Pwca hefyd yn Dân-ellyll, ac y maen nhw i'w cael mewn mannau corsiog. Y maen nhw, o ran natur, yn ddireidus ac, yn aml, yn faleisus.

Fe all teithiwr ar ei ben ei hun sy'n croesi cors yn y nos weld golau'n hofran yn y niwl o'i flaen, heb wybod mai golau sy'n cael ei ddal gan Pwca yn ei law ydi o, ac mai rhitholau ydi o mewn gwirionedd. Gyda goleuadau fel hyn y mae'r Pwca yn cael hwyl fawr wrth dywys y teithiwr diniwed trwy ddrain a mieri nes ei fod o, yn y diwedd, yn sownd yn dynn yn y gors dwyllodrus.

Fe ddywedir fod llawer o goblynnod fel hyn yn arfer byw yng Nghwm Pwca yn Sir Frycheiniog.

Enw arall ar y rhitholau ydi Cannwyll Gorff, ac fe ddywedir fod y rhain yn arwydd y bydd angladd yn fuan wedyn mewn man gerllaw.

Y mae'r Pwca wedi ei gamgymryd, ar dro, am blentyn yn cario llusern.

Y mae teithwyr wedi
cael eu harwain gan y
Pwca at ymyl sawl
dibyn peryglus.

Adran Tri:

Creaduriaid Cyfarwydd

Bwca

Coblyn sy'n byw mewn tai, gan gadw iddo'i hun, ydi'r Bwca sy'n perthyn i'r Pwca.

Coblyn bach rhyw ddwy droedfedd o daldra ydi'r Bwca. Fel arfer, y mae o'n dywyll ei bryd, a chanddo ddwy ffroen fechan ar ei wyneb fflat, ac y mae o'n eithaf blewog. Fe ellir gweld Bwcaod un ai wedi eu gwisgo mewn dillad brown carpiog, neu'n noeth.

Os caiff Bwca ei drin yn dda fe wnaiff o wneud tasgau a mân ddyletswyddau o gwmpas y tŷ. Mae Bwcaod yn hoff iawn o fowlennaid o hufen ffres, ac y maen nhw'n fodlon derbyn hyn fel tâl am eu gwaith.

Os bwrir sen ar y Bwca neu os caiff o ei gam-drin, fe all o droi at ddifrodi a malu. Fe aiff ati i binsio, pwnio, sgrechian a gweiddi, a rhwygo dillad a thynnu llenni i lawr. Yn ei dymer fe all o daflu dodrefn o gwmpas, a hyd yn oed bobol. Ar ôl dial fel hyn, bydd y Bwca'n gadael y tŷ ac yn mynd i chwilio am rywle lle y caiff o fwy o barch.

Fe ddaru ffermwr ger Corwen gymryd arno'i fod o'n gadael ei dŷ er mwyn cael gwared ar Fwbach. Ond fe aeth y Bwbach gydag o.

Bwbach

Math o ellyll bach sydd i'w gael mewn tŷ ydi Bwbach, ac o ran ei olwg gellid ei gamgymryd am Ellyll, ond ym mhob ffordd arall y mae'n debycach i'r Bwca.

Fel y rhan fwyaf o'u bath y mae Bwbachod yn ddireidus iawn, er yn ddigon clên os cânt eu trin yn dda.

Y mae Bwbachod yn dra gwarchodol o'r tŷ y gwnânt eu cartref ynddo, ond er nad ydyn nhw fel petaen nhw'n dymuno unrhyw ddrwg i deulu meidrol y lle, gall eu pranciau fod yn drwblus iawn, ac yn arbennig yng nghwmni rhai nad ydyn nhw'n yfed diod gadarn, a gweinidogion.

Bwbachod gwryw ydi'r unig rai sy'n cael eu gweld ac fe wnân nhw gyflawni gorchwylion o gwmpas y tŷ lle maen nhw'n cael eu gwerthfawrogi. Ond os tramgwyddir nhw fe allan nhw fod yn ddinistriol, a hyd yn oed yn ymosodol, er y gallan nhw gael eu tawelu gydag offrwm o fwyd. Y maen nhw'n sgut am hufen ffres.

Fe ddaru Bwbach o Sir Geredigion ddychryn pregethwr gyda'r Bedyddwyr a'i yrru o'r ardal.

Plant Cyfnewid

Y rhain ydi plant y Tylwyth Teg a adewir gyda theuluoedd meidrol yn lle eu plant nhw.

Ar y dechrau y mae Plant Cyfnewid yn edrych yn debyg i'r plant y maen nhw wedi cymryd eu lle, ond yn mynd yn fwyfwy hyll o ran eu golwg a'u hymddygiad. Fe fydd Plant Cyfnewid yn tyfu i fod yn flin eu tymer, yn gwerylgar ac yn barod i frathu. Fel y bydd hi'n mynd yn anoddach byw gyda nhw, bydd eu doethineb rhyfedd a'u cyfrwystra yn dod i'r amlwg.

Y ffordd arferol o gael gwared â Phlant Cyfnewid ydi coginio pryd y teulu mewn plisgyn wy. Fe ddywed y creadur, 'Rydw i wedi gweld mesen cyn imi weld derwen, rydw i wedi gweld yr wy cyn gweld yr iâr wen, ond welais i erioed beth tebyg i hyn.' Ar hynny, bydd Plant Cyfnewid yn diflannu a phlant go-iawn y teulu'n dychwelyd.

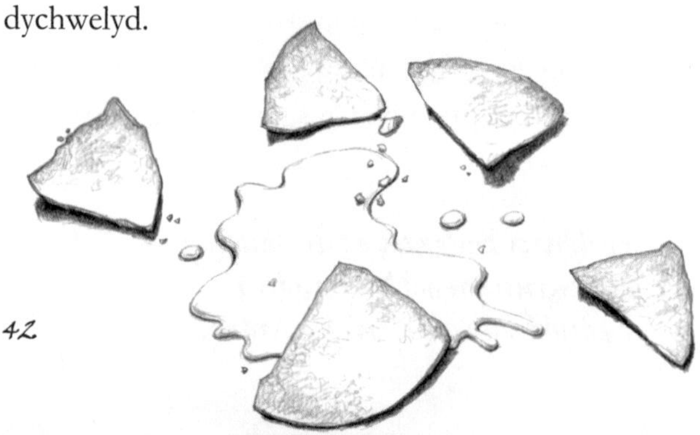

Y mae'r Tylwyth
Teg yn fawr eu
hedmygedd o blant
pobol go-iawn.

Adran Pedwar:
O Dan y Ddaear

Bydd Coblynnod yn taflu cerrig at fwynwyr meidrol os cânt eu tarfu.

Gwelwyd golygfa anarferol ym mhentref Bodfari, yn Sir Fflint, wrth i griw mawr o Goblynnod ddawnsio'n wyllt mewn cae yno.

Coblynnod

Creaduriaid bychain tebyg i Gorachod ydi Coblynnod ac maen nhw i'w cael mewn mwynfeydd, chwareli ac ogofâu, ac weithiau allan ar yr wyneb.

Fel arfer, disgrifir Coblynnod fel creaduriaid hyll, sydd yn rhyw 18 modfedd o daldra, ac wedi eu gwisgo fel mwynwyr. Y mae perthnasau i Goblynnod Cymru hefyd i'w cael yng Nghernyw a'r Almaen.

Fel rheol, y mae Coblynnod yn cael yr enw o fod yn greaduriaid clên. Yn aml y maen nhw'n dangos i fwynwyr meidrol leoliad gwythiennau o fwynau neu fetelau trwy guro ar y graig gyda morthwylion a cheibiau bychain.

Mae'r Coblynnod yn curo ac yn morthwylio yn un swydd i fod o gymorth ac er mwyn cael hwyl am nad ydyn nhw'n cloddio dim eu hunain. Dydyn nhw ddim fel petaen nhw'n gwneud fawr mwy na gwneud sŵn.

Adran Pump:
Creaduriaid Dŵr

Sarff Fôr

Dros y blynyddoedd y mae yna sawl adroddiad ar gael am weld creaduriaid y môr, rhai o wahanol faint a llun, o Benrhyn Gŵyr yn y de i Ynys Môn yn y gogledd.

Y môr-greadur sydd wedi ei weld amlaf ger arfordir Cymru ydi'r Sarff Fôr 'gyffredin'. Y mae gan y creadur hwn gorff hir, rhyw 30 neu 40 troedfedd o hyd. Weithiau y mae ganddo gyrn ar ei ben. Fe gafodd sarff fel hyn ei gweld oddi ar arfordir Cei Newydd, Ceredigion, yn tarfu ar haid o forloi.

Fel arfer y mae hi'n swil, ac yn un sy'n osgoi cysylltiad â phobol, ond y mae yna hanesion amdani hi'n ymosod ar longau. Bu digwyddiad o'r fath yng Nghulfor y Fenai, lle y trodd Sarff Fôr ei chorff yn dorchau am fast llong. Fe ymladdodd y criw â hi, a'i gyrru hi'n ôl i'r môr, ond fe ddilynodd hi'r llong am ddeuddydd cyn mynd yn ei hôl i'r dyfnderoedd.

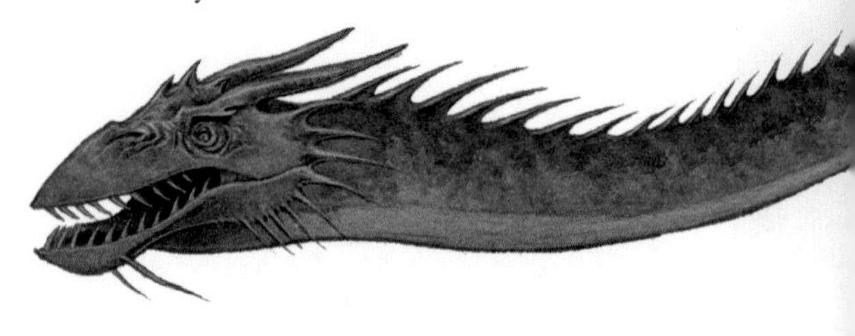

Ar wyneb y dŵr gall y Sarff Fôr ymdebygu i sarff o ran ei siâp.

Llamhidydd y Dŵr

Y mae Llamhidydd y Dŵr yn greadur sydd yn llamu, neu'n neidio o ddŵr. Mae'n greadur anferth, tebyg i lyffant neu froga, gydag adenydd a chynffon hir, tebyg i sarff.

Y mae o i'w gael yn Llyn Glas ar un o lechweddau'r Wyddfa. Yno, y mae'n swatio yn y dyfnder budr yn disgwyl am ei ysglyfaeth.

Gan nad oes gan Lamhidydd y Dŵr goesau y mae'n dibynnu ar ei allu i lamu o'r dŵr a hedfan dros yr wyneb am gannoedd o fetrau er mwyn dal ei ysglyfaeth. Ei hoff fwyd ydi'r defaid hynny sy'n mentro'n rhy agos at lan y llyn, ond y mae'r pysgotwyr sydd yn ddigon gwirion i fwrw lein i Lyn Glas hefyd yn gofyn am drwbwl.

Pan fydd y creadur hwn wedi gwylltio y mae'n rhoi sgrech erchyll. Does dim byd sy'n gwylltio Llamhidydd y Dŵr yn fwy na physgotwyr; y mae'n torri leiniau eu gwialenni pysgota ac yn ceisio tynnu'r rhai diofal i'w loches yn y dwfn.

Môr-anedig

Creaduriaid wedi eu geni yn y môr ydi'r Môr-anedig ac y mae ganddyn nhw alluoedd hud. Y mae rhan uchaf eu cyrff yn edrych fel cyrff pobol, ond y mae ganddyn nhw gynffonnau pysgod. Gall y Môr-anedig dyfu hyd at ddeg troedfedd. Y mae eu crwyn yn welw, ac y mae eu cynffonnau, fel arfer, yn dywyll eu lliw.

Y mae'r Môr-anedig i'w cael o gwmpas holl arfordir Cymru, ond y benywod sy'n cael eu gweld amlaf; dywedir eu bod nhw'n ifanc ac yn dlws, a'u gwalltiau nhw'n hir. Dydi'r gwrywod ddim yn cael eu gweld mor aml, ond y mae rhai ifainc wedi eu gweld yn y môr o gwmpas Sir Benfro. Y mae eu breichiau nhw'n fyr a thrwchus, ac y mae eu gwalltiau nhw hefyd yn hir, ond yn fwy bras na rhai'r benywod. Dywedir fod Môr-anedig (Môr-forwynion), o gael eu dal, yn proffwydo marwolaethau ar y môr ac yn cyhoeddi melltithion.

Y fôr-forwyn Gwenhidwy ydi bugeiles y môr. Y mae'r wyth mamog wen, sef tonnau, sydd ganddi yn esgor ar hwrdd o don fawr sy'n brefu'n uchel ar y lan.

Fe gamgymerir môr-
forwyn ar wyneb y
dŵr yn aml am forlo.
Fe felltithiodd môr-forwyn
a ddaeth i dir ger Conwy
bobol y lle am nad aethon
nhw â hi'n ei hôl i'r môr.
Daliwyd un arall gan ffermwr
yn Aber-bach, Sir Benfro.

Gwragedd Annwn

Ysbrydion y dyfroedd, neu Forynion y Llynnoedd ydi Gwragedd Annwn. Y maen nhw'n byw mewn llynnoedd dŵr croyw, ac er bod rhai o'u nodweddion nhw'n debyg i rai'r Môr-anedig dydyn nhw ddim yn perthyn.

Mae Gwragedd Annwn yn ymddangos fel merched prydferth, gan amlaf mewn llynnoedd mynyddig, unig. Y mae'r llynnoedd hyn yn borth rhwng y byd hwn a theyrnas Annwn.

O bryd i'w gilydd y mae Gwragedd Annwn yn hoffi cwmni pobol feidrol ac y mae yna achosion lle y maen nhw wedi priodi dynion o'r byd hwn. Y mae Llyn y Fan Fach yn y Mynydd Du, Llyn Crumlyn ym Morgannwg, a Llyn Barfog yng Ngwynedd yn enwog am eu Gwragedd Annwn.

Y mae buchod Gwragedd Annwn yn cael eu galw'n 'Gwartheg y Llyn' ac y maen nhw, fel arfer, yn wyn eu lliw. Ar dro, y mae'r rhain yn cael eu rhoi ar fenthyg i ffermwyr meidrol, ar yr amod nad ydyn nhw i gael niwed.

Ceffyl Dŵr

Ceffyl rhithiol ydi'r Ceffyl Dŵr, un sydd i'w gael ar lan y môr, ac wrth ymyl afonydd a nentydd ar hyd a lled Cymru. Ar yr olwg gyntaf y mae'r Ceffyl Dŵr yn edrych fel ceffyl go-iawn, ond weithiau y mae'n ymddangos â'i lygaid yn ddisglair, ddisglair ac yn llewyrchu fel tân eirias. Yn y gogledd fe ddywedir eu bod nhw'n gallu eu trawsnewid eu hunain yn wahanol siapiau erchyll.

Y mae'r creaduriaid hyn i'w gweld, gan amlaf, pan fydd pobol ar goll yn y nos ar rostir unig. Weithiau fe wnaiff y Ceffyl Dŵr adael i rywun fynd ar ei gefn, ond wedyn fe fydd yn mynd ati i godi arswyd ar ei farchog; bydd y ceffyl rhithiol hwn yn carlamu'n wyllt ar gyflymder mawr am filltiroedd lawer heb i'w garnau gyffwrdd â'r ddaear. Yn y diwedd bydd y Ceffyl Dŵr yn diflannu i'r niwl, gan daflu'r marchog anffodus yn egr i'r llawr.

O bryd i'w gilydd fe fydd y Ceffyl Dŵr gwyllt yn llusgo rhywun i'r môr neu i afon, ac ni welir mo'r person hwnnw byth wedyn.

Fe welwyd Ceffyl Dŵr
gwyn yn yr eglwys
yn Oxwich, ar
Benrhyn Gŵyr.

Adran Chwech:
Cewri a Thrigolion Mynyddoedd

Cewri

Y mae yna lawer o gewri sydd wedi ymgartrefu yn y rhannau mynyddig o Gymru, yn enwedig yn y gogledd. Yn fanno yr oedd Rhita, y brenin o gawr a'r rhyfelwyr a laddwyd mewn brwydr yn erbyn y Brenin Arthur yn byw. A dyna'r cewri Brennach Wyddel ac Owain Finddu oedd yn byw ar fryn Dinas Emrys.

Roedd Cadair Idris, ger Dolgellau, yn gartref i gawr o'r enw Idris, oedd yn fedrus mewn barddoniaeth, seryddiaeth, ac athroniaeth – peth anarferol iawn i gawr.

Roedd Brân (neu Bendigeidfran) hefyd yn gawr ac yn frenin. Fe dorrwyd ei ben o a'i gludo i Harlech. Bu'r pen hwnnw fyw am bedwar ugain mlynedd wedyn yng Ngwales, allan yn y môr oddi ar arfordir Sir Benfro, cyn ei symud i Lundain a'i gladdu yn y Gwynfryn. Roedd y cawr enwog Ysbaddaden (oedd â ffyrch yn cadw ei lygaid o'n agored) yn byw mewn castell hud oedd yn mynd yn bellach i ffwrdd wrth nesu ato fo.

Maen nhw'n dweud mai cewri oedd yn gyfrifol am godi llawer o feini hirion a chromlechi Cymru.

Er ei bod yn hysbys fod y Brenin
Llwyd yn byw ym mynyddoedd
Eryri, eto y mae ei rym yn
estyn i amryw fannau eraill
yng Nghymru.

Y Brenin Llwyd

Fe adwaenir y Brenin Llwyd, hefyd, fel y Brenin Nudd, Brenin y Niwl. Y mae'r disgrifiadau ohono'n amrywiol; weithiau y mae o'n cael ei ddisgrifio fel bod rhithiol, ac weithiau fel creadur mawr, blewog, tebyg i ddyn.

Y mae'r Brenin Llwyd yn eistedd yn y mynyddoedd uchel wedi'i wisgo mewn cymylau llwyd a niwl. Y mae'n un tawel a myfyrgar sydd yn byw a bod ar gopaon unig a niwlog y mynyddoedd. Pan fentra teithwyr diofal i'w deyrnas uchel, y mae o'n ymlusgo trwy'r dyffrynnoedd gan alw ar niwloedd y mynyddoedd i ddod i'w drysu a'u gyrru i'w tranc. Pryd bynnag y collid unrhyw enaid yn y mannau uchel, roedd hi'n arfer i ddweud fod y Brenin Llwyd wedi hawlio ysglyfaeth arall.

Gwyllon

Fe ddowch o hyd i Wyllon ar ochrau llwybrau unig yn y mynyddoedd wedi iddi nosi, neu ar niwl. Yn ôl pob golwg, yr unig nod sydd ganddyn nhw ydi arwain teithwyr diniwed oddi ar eu ffordd. Y mae'r Gŵyll (dyma yw'r ffurf unigol) neu 'Hen Wraig y Mynydd' yn ymddangos fel hen wreigan hynod o hyll mewn dillad o liw lludw. Y maen nhw'n dweud y gall Gwyllon weithiau ymddangos ar lun geifr ac, yn fwy anaml, ar lun tylluanod.

Weithiau y cwbwl a wnaiff y Gwyllon ydi eistedd wrth ochr llwybr a syllu ar deithiwr fel y mae'n mynd heibio; ar droeon eraill fe'u clywir nhw'n gweiddi fel rhai mewn helbul. All y rheini sy'n ceisio nesu at y Gwyllon fyth fynd yn agos atyn nhw, ac y maen nhw'n colli eu ffordd ar lwybrau cynefin. Does dim byd sy'n rhoi mwy o bleser i'r Gwyllon na phan fydd teithiwr yn cael ei arwain i gors; bryd hynny fe'u clywir nhw'n clochdar-chwerthin yn arswydus. Gellir eu gyrru nhw ymaith efo cyllyll metel gan fod y rheini'n creu arswyd ynddyn nhw.

Yn siroedd Brycheiniog a Mynwy y mae'r rhan fwyaf o Wyllon i'w cael.

Weithiau gellir
clywed y Gwyllon
yn gweiddi 'wbwb'.

Atodiad

Diogelu eich hun

Gall byd hud a lledrith fod yn beryglus ond gall y darllenydd gymryd cysur o'r ffaith fod modd gochel rhag perygl oddi wrth greaduriaid hud, ar wahân i ddreigiau neu gewri, trwy ddefnyddio'r canlynol:

- *Metel*: mae'r Tylwyth Teg yn casáu haearn oer o bob math, er mai pedolau ceffylau sy'n fwyaf traddodiadol.
- *Tân*: er bod problemau ymarferol i'w goresgyn.
- *Sŵn*: chwibanu, canu clychau neu glecian bysedd.
- *Planhigion hud*: ni ellir dibynnu ar ddail meillionen bedair deilen mewn argyfwng gan eu bod mor brin. Pan fyddant ar gael, mae'n bosibl eu defnyddio i geisio gwireddu dymuniadau. Mae'n debyg fod llysiau Ifan, coed criafol a chadwyni llygad y dydd hefyd yn effeithiol.
- *Bwydydd*: y mae blawd ceirch a halen yn hynod effeithiol ac y mae modd eu cadw yn eich poced er hwylustod.
- *Cynnyrch llaeth*: y mae'r Tylwyth Teg yn casáu hufen neu laeth.